LONDYN

WSPOMNIENIA ZE STOLICY ŚWIATA

THOMAS BENACCI LTD
LONDON

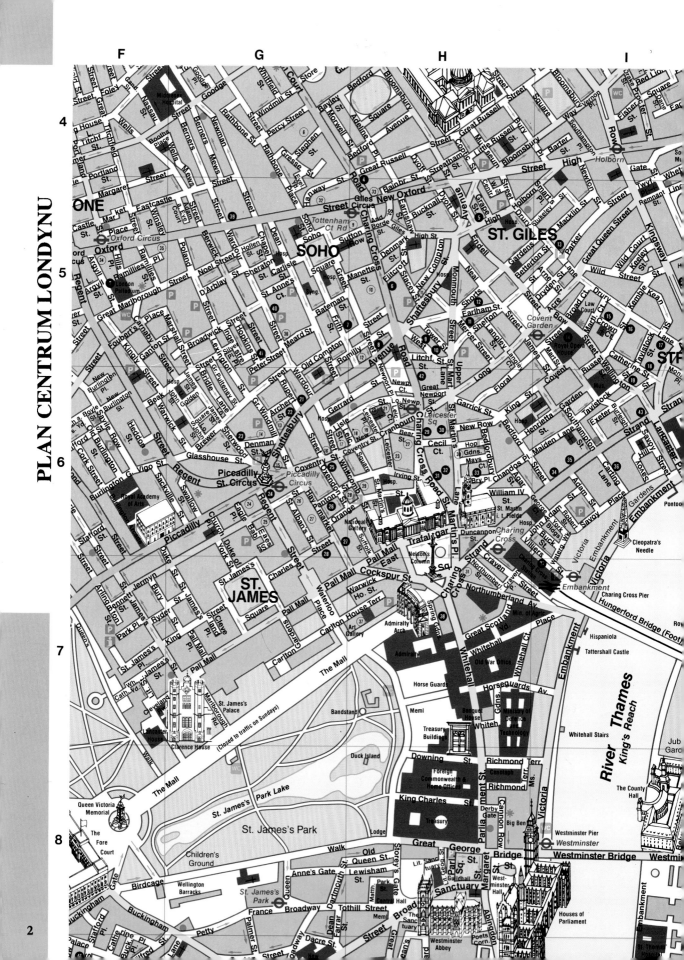

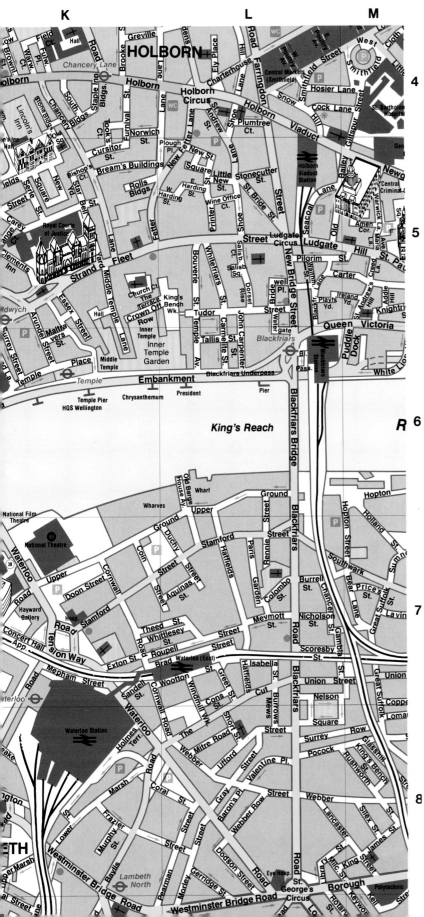

RZUT OKA NA LONDYN

«Ktokolwiek znuży się Londynem, znużony jest własnym życiem: Londyn posiada bowiem wszystko co życie zdoła darować». Te słowa pisał Samuel Johnson w 1777 r., wspominając rozległe widoki z brzegów Tamizy, płynącej leniwo od Hampton Court i Pałaców Parlamentu do Św. Pawła w stronę mostu Londynu i Wieży aż do Greenwich ku morzu. Kiedy w 1911 r. H.G. Wells pisał, że według niego, "Londyn jest najbardziej ciekawym, najcudniejszym miastem świata", powozy konne i splendory epoki Edwarda zbliżały się do schyłku.

XX wiek zaczął narzucać wyrazowi miasta drastyczne zmiany w postaci drapaczy chmur w samej City, Wieży Poczty, Ośrodka Sztuki południowego wybrzeża i Centrum Handlowego XXI wieku w Dockland.
Nie zważając na to, Londyn, stolica świata, zachował swoją duszę. Samuel Johnson mógłby wypić kawę w Covent Garden, albo wędrować po uliczkach i zaułkach City w stronę kościołów w towarzystwie zespołów ubranych w stroje z dawnych czasów. H.G. Wells mógłby być obecnym na debatach w Parlamencie, pójść na koncert do Albert Hall, słuchać orkiestry wojskowej w

parku królewskim.
Londyn jest obecnie światowym Centrum, rozległym na 625 ang. mil^2, ośrodkiem niezwykle ciekawym i podniecającym, widzianym po raz pierwszy z samolotu przez wielu turystów z całego świata, których dziwią zakręty Tamizy oraz ilość mostów kunsztownie ozdobionych.
Szeroko rozsławiona metropolia zaludniona jest nietylko na bezimiennych przedmieściach. Zamieszkałe są również gęsto cities Londynu, Westminster i niektóre dzielnice jak Marylebone, Kensington, Hampstead oraz Highgate ze swoimi nadbudowanymi ulicami i starymi zabytkami, przy-

pominającymi sławnych mieszkańców miasta,zacnych obywateli, którym Londyn zawdzięcza swoje teraźniejsze oblicze, interpretowane i przeżywane swoiście przez każdą generację gości i turystów.

Najdawniejsze przekazy dziejopisów sięgają czasów, kiedy osiedle Westminster było położone na bagnisku. Osada Rzymian, leżąca w teraźniejszej City stała się z czasem znamym ośrodkiem handlowym dzięki budowie mostu nad Tamizą w 60 r. naszej ery.

Westminster wzniesiony jako Pałac Królewski tuż przed najazdem Wilhelma Zdobywcy, zaczyna odgrywać bardzo ważną rolę jako siedziba Rządu nad Tamizą w najbliższym sąsiedztwie Westminster Abbey i nadto odległym o zaledwie kilka mil od City.

Big Ben, głos Londynu, skanduje czas na sekundy od 1859 r. Budowę wieży zegara o 320 st. wysokości, która stanowiła część budowli Pałaców Parlamentu, wzniesionych po strasznym pożarze w 1834 r., rozpoczęto w 1837 r., w dzień wstąpienia na tron Królowej Wiktorii.

Autor zegara, Sir Edmund Grimthorpe, architekt i wykonawca zmarli przed montażem dzwonu, ważącym 13,5 t., między 4 tarczami zegarowymi o wymiarze 23^2 st. Wielki dzwon pękną, został przetopiony i znowu pękną, ale teraz raduje nas melodyjnymi srebrzystymi dźwiękami.

Komu i czemu zawdzięcza swoje imię? Można to dwojako wytłumaczyć i interpretować. Może nosi imię słynnego wówczas Walijczyka Sir Benjamin Halla, który piastował wtedy wysoki urząd Kuratora. Według innego przypuszczenia robotnicy wiozący dzwon z odlewni w Whitechapel zaprzęgiem liczącym 16 białych koni, nadali mu to imię z przyczyny zupełnie odmiennej: bohaterem tego dnia był bowiem bokser wagi ciężkiej Benjamin Caunt.

Widok z lotu na Westminster
Big Ben

Meter
ZONE

PAŁACE PARLAMENTU - WESTMINSTER

PałacWestminster - jeden z najbardziej sławnych gmachów świata jest siedzibą Parlamentu brytyjskiego Izby Senatorskiej i Poselskiej. House of Lords i House of Commons.

Pierwotny Pałac wzniesiono dla Edwarda Wyznawcy, który wstąpił na tron w 1042 r. Po 45 latach za czasów Wilhelma Rufusa, syna Wilhelma Zdobywcy dobudowano apartamenty t. zw. Westminster Hall, najwikwintniejsze w całej Europie, przeznaczone na królewskie uczty 1099 r. W XIII stuleciu Henryk III dobudował t. zw. Komnatę Malowaną - Painted Chamber, - a pochodzenie tej nazwy - od franc. "parler": mówić, rozprawiać - sięga czasu jego panowania.

W 1265 r. rycerze i szlachta z róznych dzielnic i okręgów oraz mieszczanie z miast przyjeżdzali zaproszeni przez Króla na zebrania. Po trzydziestu latach powstał pierwszy wzorowy Parlament demokratyczny, złożony nie z członków mianowanych, to znaczy naznaczonych na dane stanowiska,

Pałace Parlamentu i Westminster Bridge
Statua Boaducesy i Big Ben

HOUSES OF PARLIAMENT

ale z przedstawicieli wybranych przez składanie głosów.

Około 1550 r. członkowie Izby Poselskiej i Senatorskiej zebrali się osobno z członkami Parlamentu w pięknej kaplicy Św. Stefana, pozbawionej konsekracji.

W międzyczasie wspaniała Westminster Hall została przebudowana, na co wskazuje kratowe belkowanie pułapu z artystycznymi drzeworytami na rogach. Kiedy Karol II wstąpił na tron w 1660 r. czaszka Cromwella została wsadzona na dzidę i wsunięta do stropu, gdzie gniła przez 25 lat.

W zaraniu XIX stulecia rozwiązanie zaludnienia stało się najważniejszym zadaniem.

Niezliczone projekty znakomitych fachowców nie zostały jednak urzeczywistnione z powodu płomieni ognia palącego się Pałacu Westminster i zniszczonego pożarem w1834 r.

Sir Charles Barry zajął się odbudową w bogatym stylu gotyckim, ozdobionym malowniczymi dekoracjami Augusta Pugina. Kaplica Św. Stefana stała się Hall Św. Stefana, tworząca szeroki korytarz bogaty w dzieła sztuki malarskiej i marmurowe rzeźby oraz ozdobiony płytą mosiężną, znajdującą się na posadce w miejscu krzesła Prezesa Izby Posielskiej.

Mimo zniszczenia doznanego przez ościenną Izbę Poselską podczas drugiej wojny światowej, krypta zachowała się wraz z Westminster Hall.

Bogato ozdobiona Central Lobby służy jako miejsce spotkania członków Parlamentu, a każdy obywatel ma prawo utrzymane przez tradycję do poznania swego członka.

Podczas zebrań Parlamentu można być obecnym na obradach na t.zw. Strangers' Galleries.

Nawet sama Królowa podlega pewnym organiczeniom. W chwili State Opening of Parliament powinna siedzieć na tronie między senatorami - Lords, podczas gdy Premier i członkowie rządu wchodzą, wezwani z Izby Poselskiej. Ten zwyczaj sięga czasów Karola I, który wsedł na gwałt, żądając aresztu pięciu członków Parlamentu, co mu się jednak nie udało.

House of Lords

House of Lords - Izba Lordów, Izba Senatorska złożona jest z biskupów i arcybiskupów Kościoła anglikańskiego, ze szlachty, która odziedziczyła tytuł i szlachty mianowanej dożywnie. Członkowie juryści i prawoznawcy tworzą Główny Sąd Apelacyjny Zjednoczonego Królestwa.

W Izbie, w której obchodzi się State Openings of Parliament, w obecności Królowej na tronie, czytającej mowę z okazji otwarcia, Lord Chancellor - Kanclerz, jednocześnie Speaker, siedzi na krześle Woolsack, ongiś wełniany worek. Lord Chancellor zajmuje najwyższe stanowisko i ma pra-

House of Lords. Izba Lordów: Tron
Izby Senatorskiej: Biblioteka
The House of Lords

GŁÓWNY SĄD APELACYJNY

wo oraz przywilej pierszeństwa tuż po członkach panującej rodziny królewskiej z wyjątkiem Arcybiskupa Canterbury.

Na ścianach Peers'Corridor liczne freski opisują wydarzenia XVII stulecia, włącznie z wejściem samowolnym Karola I do Izby Poselskiej w 1642 r. Obecność liczona przeciętnie na 140 zebraniach, wynosi 270 członków, a w ciągu roku 700 członków bierze udział w obradach, zadaniach dotyczących Izby. Oficjalne Sprawozdanie posiedzeń nosi nazwę Hansard.

Central Lobby of The House of Lords House of Commons

House of Commons - Izba Poselska

Izba Poselska powołana przez wybory jest organem ustawodawczym, którego zadaniem jest również ustalenie podatków wznoszonych przez obywateli na rzecz Państwa. Ustrój demokratyczny polega na systemie Partii i możliwości Opozycji.Parlament składa się z 2 Izb: The House of Lords oraz Commons z 650 członkami wybranymi.

Poza Central Lobby istnieje również Members Lobby, tak nazwana, ponieważ tylko "lobby correspondents" mogą do niej zaprowadzić przedsrawicieli.

Dalej znajdują się: Lobby zgody "tak" i niezgody "nie",przez które przechodzą przedstawiciele w trakcie obliczania głosów podczas obrady. Na stole w głównej auli, w której Prezes-Speaker kieruje obradami, leży laska przewodniczącego, godło jego władzy. Premier i Rząd siedzą naprzeciw, na ławach po prawej stronie, przedstawiciele Opozycji na lewo. Liczne sale gościnne przyległe do tarasu wychodzącego na rzekę, służą jako miejsce odpoczynku, relaksu i pauzy. Nie mogły być jednak używane do czasu urządzenia nowej kanalizacji w 1865r., która zdołała mitygować nieprzyjemne cuchnące zapachy pochodzące z Tamizy.

W ogrodach poza ulicą znajdują się Jewel Tower, budowla kamienna wzniesiona jako gmach do przechowania skarbu królewskiego. Wśród nowoczesnych dzieł sztuki umieszconych w pobliżu wyróżnia się arcydzieło Sir Henry Moore, a natomiast wielki posąg, postawiony na piedestale uwiecznia Sir Winstona Churchilla w Parliament Square.

OKOŁO WHITEHALL

Downing Street, od przeszło 250 lat rezydencja oficjalna Premiera została wybudowana na miejscu dawnego browaru Opactwa.

30 lat temu, podczas odnowienia znaleziono szczątki i resztki naczyń starorzymskiego pochodzenia, kawałki drzewa z czasów epoki saksońsikej i fragmenty Pałacu Whitehall z czasów jego splendoru, podczas panowania Tudora Henryka VIII.

Słynna ulica Downing Street została realizowana ok. 1680 r. przez członka Parlamentu Sir George Downingá.

Sir George spędził swoje młode lata z rodzicami w Ameryce. Uzyskał na Uniwersytecie Harvard stopień naukowy „graduate", a przed powrotem do Londynu, uzyskał od Karola II zezwolenie na dzierżawę tego gruntu.

Dom na Downing Street zachował charakterystyczne cechy owych czasów.

Władza królewska nabyła ten budynek w 1732 r., a Sir Robert Walpole, Pierwszy Lord Skarbu - godność odpowiadającą później godności Premiera, dostał go w podarunku od Jerzego II. Pośród wielu sławnych właścicieli tego domu wyróżnia się Sir Robert Peel, któremu Londyn zawdzięcza organizację policji i przydomek „bobbies".

Jeden jedyny policjant stoi przed słynnymi drzwiami nr. 10, miejscem znanym z niezliczonych fotografii. Doniosłe dzieje i przeróżne wydarzenia życia społecznego i politycznego odbywały się przed nr. 10, m. in. bunt sufrażystek związanych łańcuchem do ogrodzenia podczas uroczystego obchodzenia końca wojny przez Sir Winstona Churchilla. Za naszych czasów były świadkiem objęcia przez kobietę funkcji Premiera i przyjęcia Królowej przez panią Margaret Thatcherową, podczas solennego obchodu 250 rocznicy domu jako rezydencja Premiera.

W pobliżu znajdują się Ministerstwa i miejsce przeznaczone na parady oficjalne, uroczyste wystąpienia i obchody przy grobie honorowym, dzieła Sir Edwina Lutyens'a ku pamięci ofiar pierwszej wojny światowej. Późniejszy napis upamiętnia poległych drugiej wojny światowej.

Niedaleko ścięto głowę Karolowi I w 1649 r. po jego wyjściu z Banqueting Hall, budowli wystawionej przez Inigo Jones'a w 1625 r. kamienia Portland w stylu Palladia.

Sufit wymalował Rubens dla Karola I, mianowany za to dzieło kawalerem. Spośród scen wyróżniają się urodziny i koronacja nieszczęśliwego Króla.

Commonwealth Cromwella nie przeżyło 10 lat, a syn jego Richard nie zdołał powstrzymać Restauracji. Karol II wstąpił na tron w 1660 r.

Portyk Normandzki Izby Lordów
Nr. 10 Downing Street

BUCKINGHAM PALACE

Pałac Buckingham i Queen Victoria
Memorial

Oficer Gwardii

Pałac Buckingham

Na Pałacu Buckingham, na przeciw pomnika z białego marmuru ku pamięci Królowej Wiktorii, widoczna jest chorągiew królewska, świadcząca o obecności Królowej w Rezydencji.

Jej przodek Król Jerzy IV zaangażował Johna Nash'a jako nadwornego architekta, ale wydatki poszły szybko w górę aż do sumy 700 000 za nabycie m. in. 500 bloków żyłkowatego marmuru z Carrary. Pałac nie nadający się do zamieszkania w chwili wstąpienia na tron Królowej Wiktorii - z 1000 okien niewiele można było otworzyć - zmienił z czasem wygląd wnętrz, a w 1853 r. wybudowano nową salę przeznaczoną na tańce. Król Edward VII urodzony w Pałacu w 1841 roku, zmarł tu w 1910.

Mimo wystawności i skarbów nie wszyscy czuli się szczęśliwi. Duke of Windsor wspomina w swoich pamiętnikach, że ma się wrażenie jakoby ten obszerny Pałac o wielkich salach i o daleko ciągnących się korytarzach był przesiąknięty zapachem stęchlizny i dodaje, że tego uczucia doznaje za każdym razem gdy przekracza wrota Pałacu.

Obecnie Królowa i Duke of Edinburgh mają swoje prywatne apartamenty w północnym skrzydle, wychodzącym na Green Park.

Ich apartament gości w lecie ok. 30 000 osób, które są obecne na t.zw. Garden Parties. W ogrodach znajduje się jezioro, wodospady i fauna bogata w czerwonaki. Widocznie nie przeszkadzają im helikoptery królewskiego lotnictwa, krążące nad Pałacem.

Pałac Buckingham jest również ośrodkiem pracy Monarchii, zatrudniającej wielką ilość pracowników o przeróżnych obowiązkach i zadaniach, począwszy od wykonania czynności związanych z urządzeniem gospodarstwa, z organizacją przyjęć i bankietów dla doniosłych przedstawicieli Rządów, znanych Prezydentów oraz urzędników, funcjonariuszy zajmujących wysokie stanowiska, aż do przygotowania przyjęć dla akredytowanych ambasadorów albo zasłużonych obywateli Państwa, podczas udzielania wyna-

Jej Królewska Mość Elżbieta II podczas
ceremonii Trooping the Colour
Gwardie osobiste
Powozy królewskie

grodzenia. Z tego Pałacu wychodzi albo wyjeżdża Królowa, aby spełnić swoje obowiązki ceremoniału jak np. State Opening of Parliament na początku zimy i Trooping the Colour, w dniu jej urodzin w czerwcu.

Queen's Gallery wybudowana na miejscu dawnej kaplicy zniszczonej poczas wojny, jest otwarta dla publiczności i gości tymczasowe wystawy dzieł sztuki z królewskich zbiorów i kolekcji.

Otwarte dla publiczności są również stajnie koni królowej, uprząż i wspaniała State Coach, wymalowana przez Ciprianiego oraz różne powozy nowoczesne i samochody.

ADMIRALITY ARCH

Parada konnej gwardii
Pałac Buckingham: zmiana warty
Łuk Admiralicji

19

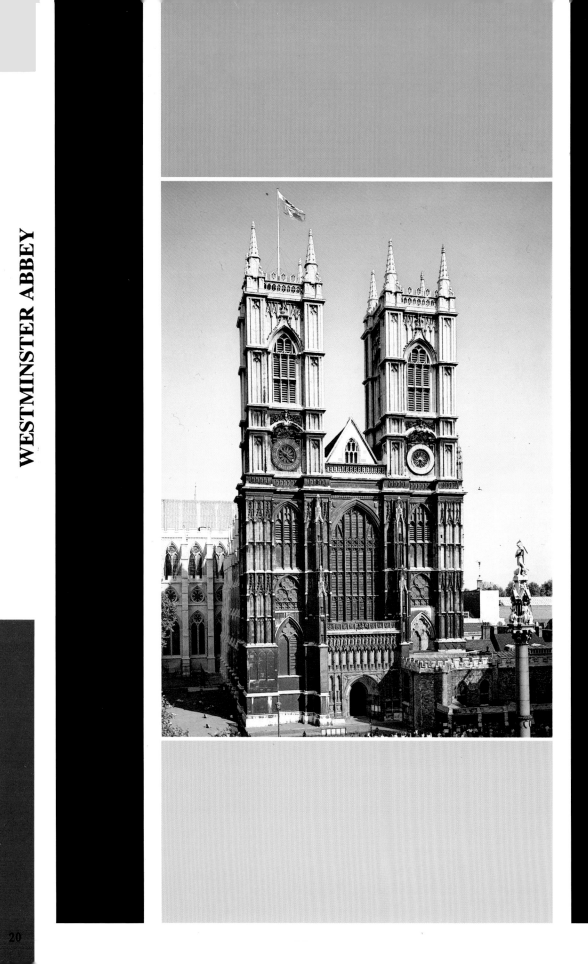

Opactwo Westminster

Cuda Opactwa Westminster zawdzięczają wiele rodowi panujących, począwszy od Edwarda Wyznawcy, świętego człowieka, który wstąpił na tron w 1040 roku.

Dziwnym zbiegem okoliczności konsekracja kościoła wystawionego przez niego odbyła się 28 grudnia 1065 r., gdy już bardzo słabe zdrowie Króla, nie pozwoliło mu być obecnym przy ceremonii poświęcenia kościoła. Zmarł niestety osiem dni po konsekracji. Koronacja następcy, Wilhelma Zdobywcy odbyła się w dzień Bożego Narodzenia w roku 1066 i ta tradycja zachowała się do dnia dzisiejszego. Opactwo Westminster stało się miejscem koronacji wszystkich monarchów i od r. 1308 tron projektowany specjalnie w celu umieszczenia w nim starożytnego Stone of Scone, kamienia porwanego od Szkotów w 1296 r., służy podczas uroczystości namaszczenia króla czy królowej. W 1950 r. niejacy Szkoci ukradli Stone of Scone, ale po roku zwrócili ten zabytek.

W 1220 r. Henryk III polecił budowę kaplicy N. M. Panny i przebudowanie Opactwa, które trwało 300 lat, chociaż prace nad wieżami strony zachodniej zostały doprowadzone do końca dopiero w 1745 r.

Opactwo było świadkiem wydarzeń z zakresu sił zbrojnych, polityki i sztuki. Opactwo Westminster to miejsce koronacji panujących Monarchów i także miejsce ich wiecznego spoczynku. Spoczywają tu również poeci, wybitni i zasłużeni dignitarze, statyści i duchowni. Pierwszy został tu pochowany Chaucer w 1400 r. w t. zw. Poets' Corner, natomiat Sir Winston Churchill upamiętniony jest na płycie marmurowej w pobliżu grobu Nieznanego Żołnierza.

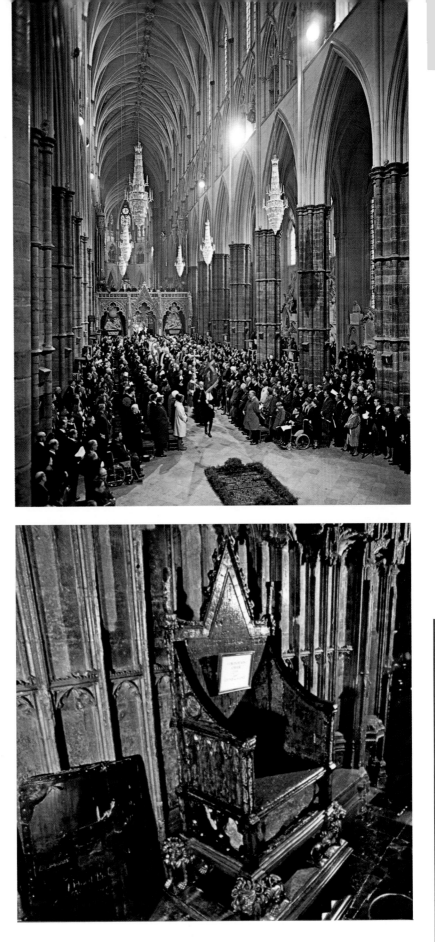

Opactwo Westminster: front
Opactwo Westminster: wnętrze podczas obchodzenia uroczystości
Opactwo Westminster: tron koronacji

Grób Elżbiety I i pomnik nagrobny jej przyrodniej siostry Marii ozdobiony rzeźbionym wizerunkiem z białego marmuru znajdują się w tym samym miejscu.
W nawie północnej o zdumiewającym sklepieniu spoczywa Henryk VII. Spośród niedawno wzniesonych dzieł architektury zasługuje na uwagę kaplica Royal Air Force z pamiątkowym oknem. Założyciel Opactwa jest upamiętniony w kaplicy Edwarda Wyznawcy.
Opactwo Westminster pod jurysdycją dziekana i kapituły podlega jedynie Królowej. Posiada swój własny chór i szkołę kantorów. Westminster School, założona przez Elżbietę I przyległa jest do krużganków.

Opactwo Westminster:
kaplica Henryka VII
Opactwo Westminster:
kaplica Henryka VII, sufit
Opactwo Westminster:
kaplica Henryka VII, ołtarz główny

Katedra Westminster

Katedra Westminster, katedra kardynała Arcybiskupa - główny kościoł wyznania Rymskokatolickiego Anglii - odległa o pól milii od Opactwa, została wzniesiona na zaraniu tego stulecia w pobliżu Dworca.

Jedyny dzwon dzwonnicy o wysokości 280 st. jest poświęcony - jak zresztą kaplica Opactwa - Edwardowi Wyznawcy. Na tym podarunku Gwendolen, Duchess of Norfolk wyryto napis: "Święty Edwardzie, módl się za Anglię".

Dopiero 300 lat po Reformacji oddano duchowieństwu Rzymskokatolickiemu prawa biskupów diecezji. Pierwszy Arcybiskup, Kardynał Wiseman został mianowany w 1850 r., ale dopiero po przeszło trzydziestu latach w 1884 r. nabyto grunt - za dawnych czasów bagnisko, a zbiegiem czasu rynek Braci Benedyktynów Opactwa. Katedra projektowana przez J.F. Bentley'a, została wzniesiona w stylu wczesnobizantyjskim między 1895 i 1903.

Posiada mury z czerwonych cegieł ozdobione kamiennymi listwami z Portland Stone. Przeszło sto różnych gatunków marmuru z kamieniołomów całego świata służyło do udekorowania wnętrz. Osiem kolumn z ciemnozielonego marmuru - stanowiące przepiękną ozdobę największej nawy Anglii,- sprowadzono z dwuletnim opóźnieniem, dopiero w 1899 r., ponieważ podczas transportu przez Tessalię, Turcy je zabrali, uważając je za łup wojenny.

Słynne dzieła sztuki upiększają Katedrę.

Eric Gill przedstawił stacje kościelne, drogę Krzyżową Chrystusa na czternastu kamiennych płaskorzeżbach. Alabastrowa statua N. M. Panny z Dzieciątkiem szkoły Nottingham z XV stulecia jest darem bezimiennego obywatela. Ambona marmurowa została wręczona w darze przez Kardynała Bourne w 1934 r.

Prace dekoracyjne trwają nadal. W katedrze posiadającej prawdopodobnie, prawdziwe fragmenty Krzyża znajdują się kaplice upamętniające Św. Tomasza z Canterbury, Św. Jerzego, Męczenników Anglii oraz Świętych Irlandii i Szkocji.

Nowym nabytkiem jest organ, który można grać zarówno na jednym jak i na drugim krańcu Katedry. Tutaj Sir Edward Elgar dyrygował orkiestrę grającą w 1903 r. po raz pierwszy w Londynie The Dream of Gerontius - Sen Hieronima.

Katedra Westminster: Ambona
Katedra Westminster

Rezydencje Królewskie

Prince i Princess Walii mają swoje apartamenty w Pałacu Kensington, znajdującym się w ogrodzie Kensington.

Pierwszymi właścicielami był Król Wilhelm i Królowa, którzy nabyli w 1689 r. za 18 000 funtów wieś Kensington. Wioska ta leżąca trochę dalej od niezdrowego Westminsteru stała się wiejską rezydencją.

Sir Christopher Wren dostał zlecenie ogólnego ulepszenia i uszlachetnienia i od owego czasu Kensigton powiększył się zmieniając swoje oblicze i dotychczas jest znany jako przedmieście królewskie.

Apartamenty Państwa zostały otworzone do oglądania w 1899 r. przez Królową Wiktorię, która w Kensingtonie urodziłą się i wychowała. Obecnie zawiera cudowną kolekcję szat noszonych na dworze królewskim podczas ostatnich 2 stuleci.

Pałac St. James's wystawiony przez Henryka III jest ceglanym nieregularnym gmachem.

Wejście, stanowiące ongiś niektóre części kaplicy królewskiej i sala gobelinów sięgające XVI w. niezmieniły swego wyglądu od śmierci Marii I w 1558 r. Karol I spędził tu swoje ostatnie dni życia i od tego czasu mieszkali w tym Pałacu bardziej szczęśliwi krewni panującego rodu.

Duke i Duchess of Kent żyją w Rezydencji "grace and favour". Lord Chamberlain miał tu swoje biura, a dwór Królestwa Brytyjskiego nosi imię Court of St. James.

Queen Mother - Matkę Królowej - uśmiechniającą się do publiczności można widziec w dzień jej urodzin, podczas przymowania życzeń od dzieci. Ulubiona prawie że stuletnia babcia Anglii żyje w Clarence House, budowli Nasha, wzniesonej dla Wilhelma IV w 1825 r., kiedy był jeszcze Duke of Clarence. Królowa żyla tu po ślubie jako Princess Elisabeth, a Princess of Welles - Walii spędziła tu młode lata przed ślubem. Ktokolwiek wstaje wcześnie, może usłyszeć o 9 rano dzwięki koźby, świadczące o obecności Królowej w Londynie.

Marlborough House został zbudowany dla Sarah'y Duchess of Marlborough, która otrzymała od Królowej Anny pozwolenie na wynajęcie gruntu w pobliżu Pałacu St. James's. W tej budowli, skończonej i uzupełnionej w 1711 r. urodził się Król Jerzy V w 1865 r. Sto lat później Pałac Malborough został darowany Rządowi jako Centrum Commonwealth.

Pałac St. James's
Pałac Kensington
Marlborough House

MUZYKA A POMNIKI

Prince Albert zaproponował przeznaczyć dochody Wielkiej Wystawy na Subwencję nowych Instytucji, Muzei, księgarni, szkół i nowych wystaw. Zmarł niestety 10 lat później - przed realizowaniem wielkiej sali Koncertowej. Wiele różnych trudności i brak funuszów nie pozwoliły Królowej Wiktorii położyć kamienia węgielnego, ale w 1870 r. Prince of Wales ogłosił otwarcie Sali. O sylwecie owalnej i 135 st. wysokości wnętrze może pomieścić w sobie 7000 miejsc, znajdujących się pod szklaną i żelazną kopułą. Na

Lancaster House
Carlton House Terrace
Albert Hall - Sala Koncertowa
Albert Memorial - Pomnik Alberta

froncie artystyczny fryz ilustruje triumf sztuki, literatury i humanistyki.

W 1877 r. Wagner był tu dyrygentem Festiwalu, ale Albert Hall ze swoimi organami o 9000 piszczałkach i doskonałej akustyce znane jest bardziej jako miejsce Promenade Concerts Sir Henry Wood'a, zwanych Proms.

Na przeciwnej stronie w Hyde Parku znajduje się Albert Memorial, dzieło Gilberta Scotta mianowanego Kawalerem za talent i umiejętność. Wzniesiony w późnogotyckim stylu, a skończony w 1872 r. posiada siedem rzędów posągów o niezwykle starannym wykonaniu.

John Foley wykonał statuę brązową Prince'a o wysokości 14 st., trzymającą katalog Wielkiej Wystawy, instalowanej w 1876 r. Dokładnie 100 lat po Wielkiej Wystawie, Festival of Britain zatarł surowe obyczaje powojenne i Royal Festival Hall na lewym brzegu jest ośrodkiem atrakcji. Naokoło obszernej Concert Hall rozwinęło się Centrum sztuki obejmujące Queen Elizabeth Hall, Purcell Room, Hayward Gallery, National Theatre oraz National Film Theatre.

W roku 1982 Londyn wzbogacił się o jeszcze jeden ośrodek sztuki: Barbican inaugurowany w City przez Królową. Koszta wyniosły 153 milionów funtów i obecnie jest siedzibą London Symphony Orchestra i Royal Shakespeare Company.

Od Madame Tussaud's do Hyde Park Corner

W muzeum Madame Tussaud's w Marylebone, odwiedzająca publiczność przechodzi między sławą i hanbą życia, spotykając członków rodu królewskiego, gwiazdy muzyki Pop, a w sali zgrozy, kata przy spełnianiu swego obowiązku. Założycielka, ur. Marie Grosholtz pracowała często w obliczu śmierci. Znana w Paryżu z kształtowania figur woskowych, była nauczycielka sztuki siostry Ludwika XVI, otrzymała polecenie od kierowników Rewolucji Francuskiej, wykonania mask z głów ofiar giliotyny. Na początku XIX w., po ślubie, wyjechała do Londynu z mężem Franciszkiem Tussaud. Jak zmarła w 1850 r., mając lat 89, już wtedy słynne, doskonale wykonane figury woskowe cieszyły się ogólnym powodzeniem i uznaniem. Jej wnuk Joseph Randall Tussaud zajął się w 1884 r. urządzeniem obecnego Muzeum w pobliżu Baker Street. Od tego czasu kolekcja dotrzymała kroku wydarzeniom i zmianom. Wydarzenia na przemian dobre,

złe, godne i w towarzystwie gwiazd.

Duke of Edinburgh inaugurował w 1958 r. sąsiednie Planetarium - Obserwatorium - z kopułą barwy grynszpanu. Spostrzeżenia astronomiczne i spektakl na nocne niebo odbywają się według nowoczesnej technologii w celu wyjaśnienia dramatycznych i tajemniczych ruchów zarówno jednej jak drugiej hemisfery, za pomocą historii i zjawisk przestrzeni. W roku 1827 John Nash projektował Marble Arch, imitujący łuk Konstantyna w Rzymie. Umieszczony w pobliżu Pałacu Buckingham, został przeniesiony na teraźniejsze miejsce w 1851 r. z okazji Wielkiej Wystawy. Naznacza północno wschodni róg Hyde Parku, blisko miejsca, gdzie ktokolwiek zaopatrzony w pulpit, może mówić do ludzi, którzy zechcą go słuchać. Stąd pochodzi nazwa Speakers' Corner. Hyde Park Corner, na przeciwnej stronie Park Lane posiada Łuk: Wellington Arch wzniesiony ok. 1820 r. Przylegający Apsley House, miejsce stałego zamieszkania Wellingtona (1769-1852) pod znanym adresem Nr. 1 Londyn, posiada słynną kolekcję przedmiotów i naczyń porcelanowych oraz dzieła sztuki malarskiej . Są to osobiste relikwie Duke'a Żelaznego (Iron Duke).

Wellington Arch
Muzeum Madame Tussaud's: Henryk VIII z żonami

Marble Arch
Planetarium i Madame Tussaud's

Parki Królewskie

Parki Królewskie Londynu: St. James's, Hyde Park, Kensington Gardens i Regent's Park są płucami centrum Londynu.

Regent's Park: Ogród zoologiczny
Saint James's Park
Kensington Palace: The Sunken Garden

Orkiestry grają nad jeziorami, liczne są tu kawiarnie i wystawy sztuki. Jeźdzcy jadą kłusem na Rotten Row , wioślarze wiosłują przez Serpetine i latem aktorzy grają w teatrze pod gołym niebem.

Jakkolwiek nie żyją tu daniele, ptaków jest bardzo wiele. Życie ich jest chronione specjalnymi przepisami. Rezerwat Parku St. James's położony jest w malowniczej okolicy. Pelikany zagnieździły się tu po raz pierwszy w XVII w., para została podarowana ambasadorowi Rosji, a Król Karol II umieścił tu swoją ptaszarnię. Ogrody Kensington Gardens ze swoimi Sunken Gardens, ciekawą oranżerią i Round Pond z żaglówkami - uciechą dzieci - nabrały tego wyglądu za czasów Wilhelma III, który mieszkał w Pałacu Kensington. Wiele zawdzięcza Królowej Karolinie, żonie Jerzego II. Królowa Karolina zmieniła bowiem oblicze tego ogrodu. Znane są radykalne ulepszenia z czasów panowania Jerzego II. Królowa Karolina upiększyła ogród długimi alejami wysadzonymi drzewami i bogatymi ozdobami.

Za Serpentine znajduje się statua Peter Pan'a, ulubiona postać z baśni, stworzona przez Sir James Barrie'ego na początku XX stulecis.

W Hyde Parku 21 strzałów działa obchodzi urodziny Królowej, pary zakochanych przechadzają się po parku , a przy okazji można podziwiać płomienie ognia sztucznego i na początku listopada historyczne samochody zaczynają wyścigi z Londynu do Brighton'u.

Hyde Park ma swój komisariat i swoją szkółkę drzewek.

Spośród ulubionych miejc zasługują na uwagę: miniaturowy ogrod na wyspie, Queen Mary's Rose Gardens, długa i szeroka aleja, bogato ozdobione posągi i przestrzenie przeznaczone na sporty. Psy mogą pędzić po rozległych obszarach przed mieszkańcami ogrodu zoologicznego. Założony w 1826 r. słynie z ilości zwierząt, stawu dla pingwinów (1930 r.) nowoczesnego budynku dla słoni i klatki dla ptaków, projektowanej przez Lorda Snowdon'a, widocznego za Regent's Park Canal.

SAINT JAMES'S PARK

Piccadilly do
Trafalgar Square

Piccadilly Circus został realizowany na skrzyżowaniu Picadilly z elegancką Regent Street o ładnym zakręcie, upiększonym fasadami budowanymi 60 lat temu. Tu znajduje się Café Royal, miejsce spotkania literatów i artystów pierwszych lat stulecia. Cirkus, miejscie ulubione Londyńczyków był przedmiotem wielu projektów urbanistyki i obecnie praca wre tutaj w celu upiększenia i zaprowadzenia zmian.

Eros statua uskrzydlona wyobraża srzelca z łukiem. Sir Alfred Gilbert realizował ten posąg nosący właściwie imię Shaftesbury Memorial z aluminium w 1892 - 3 r. jako hołd złożony filantropowi epoki Earl of Shaftesbury.

Statua Erosa
Piccadilly Circus
Trafalgar Square

Na Trafalgar Square znajduje się pomnik Nelsona o 145 st. wysokości.

Legendarnego Admirała, zwycięzcy w 1805 r. bitwy na przylądku Trafalgar, umieszczonego na kolumnie w stylu klasycznym, pilnują cztery lwy. Modelował je Sir Edwin Landseer, a odlew wykonał Marocchetti w 1867 r. Odlew czterech brązowych płaskorzeźb koło podstawy został wykonany z brązu dział francuskich, zdobytych podczas poszczególnych walk morskich, które ilustrują te płaskorzeźby.

Trafalgar Square ze swoją National Gallery na północnej stronie i Whitehall na południowej jest odwiedzany przez gołębi i publiczność z całego świata.

Co rok Norwegia przysyła choinkę na Boże Narodzenie, a na Św. Sylwestra tłumy ludzi stoją naokoło choinki i lwów w oczekiwaniu Nowego Roku.

Soho a Covent Garden

Soho, kolebka strip-tease'u, przemysłu filmowego i wysoko postawionej międzynarodowej sztuki kulinarnej znajduje się na krańcu dzielnicy teatrów, bogatej w historyczne wydarzenia i różnorodną kulturę.

Soho zawdzięcza swoje imię staremu okrzykowi SO-HO myśliwych podczas polowania na tym ongiś wiejskim obszarze.

Jednym z pierwszych mieszkańców tego serca Londynu, które stało się coraz bardziej kosmopolitycznym ośrodkiem był syn nieślubny Karola II, Duke of Monmouth. W XIX stuleciu dzielnica ta wywoływała dziwne wrażenie, jeśli została opisana przez Johna Galsworthy w arcydziele *Saga Forsytów* jako "brudna, pełna Greków, kotów, Włochów, pomidorów, restauracji, katarynek, kolorowych szmat, dziwnych imion, ludzi wyglądających z wyższych pięter, ale obcych *British Body Politic*". Obecnie ta dzielnica jest autentyczną *China Town*, a restauracje przyrządzają różne potrawy do wyboru z wielu okolic świata.

Rynek na Berwick Street jest bo-

gaty w najlepsze gatunki świeżych owoców i włoszczyzny, a kluby w jeszcze bardziej soczyste atrakcje.

Soho jest miejscem sprawunków, rozrywek, posiłku w dzień i w nocy. Covent Garden oddalony tylko o krótką malowniczą przechadzkę był niegdyś pastwiskiem własności Opactwa Westminster.

W XVII stuleciu czwarty Earl of Bedford zawezwał Inigo Jonesa i wkrótce powstał Plac w stylu kontynentalnym obejmujący Kościół Św. Pawła i Rynek znany z obrazów i stychów Hogartha.

Dzielnica została zaniedbana, straciła swoje pierwotne oblicze i bardzo podupadła. Roiło się w niej od łaźni tureckich i domów publicznych aż do XIX wieku, kiedy Charles Fowler narysował projekt nowego żywego, barwnego Rynku. Obecnie Londyńczycy przechodzą między straganami wieśniaków i kramarzy, którzy sprzedają owoce i warzywa i obok dziewcząt kwiaciarek, które natchnęły Pygmaliona, czemu zawdzięczamy Musical My Fair Lady.

Czasy zmieniają się: Rynek kwiatów stał się London Transport Museum, a budynki główne goszczą sklepy i restauracje. Od czasu kiedy świeże produkty zostały umieszczone na większym obszarze w Nine Elms, w kierunku południowo zachodnim od Vauxhall Bridge.

Covent Garden Opera House, siedziba zespołów Royal Opera i Royal Ballet jest już trzecim teatrem wzniesionym na tym miejscu. Dzieło E.M. Barry'ego z roku 1858 zostało z czasem powiększone. Na początku przeżycia i wydarzenia nieprzyjemne zakłóciły spokój tej Instytucji. W 1763 r. z powodu odmowy biletu ulgowego o 50% przy wejściu po trzecim akcie i w roku 1833, kiedy znany aktor Edmund Kean dostał iktusa mózgu podczas Otella. Obecnie Opera House słynie ze swoich wybitnych przedstawień i najlepszych aktorów świata.

Covent Garden
Plac Soho
Przed Pubem

Kopuła Katedry Św. Pawła: widok z
Tamizy
Kopuła Św. Pawła w nocy
Strona prawa Katedry Św. Pawła

KATEDRA ŚW. PAWŁA

*Katedra Św. Pawła, rezydencja
Biskupa Londynu i ośrodek du-
chowny City jest arcydziełem Sir
Christopher Wren'a. Sir Wren
pilnował budowy i kierował wykonania z domu na przeciwnym
brzegu rzeki, skąd mógł podziwiać swoje arcydzieło wzniesione
na szczycie Ludgate Hill.*

35 lat trwały prace tego imponującego przedsięwzięcia, rozpoczęte w 1666 r. po pożarze, gdy dawny kościół zburzony przez wojsko Parlamentu, został zupełnie zniszczony.

Katedra, w której odbył się ślub Prince Charles i Princess Diana w 1981 r. słynie z okazałości swoich wymiarów: nawa o długóści 180 st. ma 365 st. wysokości od posadzki do szpica krzyża.

Posiada wykwintne dzieła sztuki, począwszy od sztychów Grinling Gibbons'a do fresków przedstawiających sceny z życia Św. Pawła, malowanych przez Sir Jamesa Thornhill'a na wnętrzu kopuły. Freski można podziwiać z Whispering Gallery na wysokości 100 st., licząc od freska.

Wren zmarł mając 91 lat po wzniesieniu 50 kościołów wybitnie wykonanych, co zmieniło oblicze miasta. Na jego grób, jeden z pierwszych w Katedrze wskazuje w krypcie czarna płyta, marmurowa.

W katedrze Św. Pawła spoczywa Admirał Nelson i Duke of Wellington.

Dzwon zwany Great Tom, świadek procesji żałobnych dzwoni tylko umarłym z rodu królewskiego, biskupom Londynu, dla dziekanów Św. Pawła i Lorda Mayora Londynu, w wypadku śmierci podczas piastowania tego wysokiego urzędu.

Dawny cmentarz jest obecnie ogrodem publicznym. Widoczny jest jeszcze krużganek średnio-wieczny, a słup wskazuje na rzekome miejsce zwane St. Paul's Cross, gdzie w obecności Kardynała Wolsey'a zostało obwieszczone potępienie Martin Lutera przez Papieża.

Konspiratorzy t. zw. Przysiężenia Gunpowder Plot, którym nie udało się wysadzić w powietrze Parlamentu, zostali powieszeni w pobliżu.

· W Paternoster Square znajduje się rzeźba pasterza ze swoją trzodą, bardziej pacyficzne dzieło sztuki, wykonane przez Elisabeth Frink w 1975 r.

Rzeka Tamiza

Tamiza, różnie opisywana jako "płynna historia", najszlachetniejsza rzeka Europy jest upiększona wieloma mostami, tunelami i barierą, ale do 1750 r., kiedy inaugurowano pierwszy most Westminster, London Bridge był jedynym mostem miasta. Wykonany z kamienia między 1176 i 1209 stał się słynnym mostem Europy dzięki swoim budynkom i kaplicy poświęconej Świętemu Tomaszowi. Wyglądał ponuro i przerażająco. Ścięte głowy zdrajców wsadzone na piki były wystawione na obwarowanych wejściach. Na miejscu mostu zwalonego w 1823-31 i odbudowanego w Lake Havasu City w Arizonie, wzniesiono novy most z cementu angielskiego, mający kształt dźwigaru podtrzymującego i dźwigającego ciężary.

Mosty Londynu słyną z różnego charakterystycznego sposobu wykonania. Hammersmith jest ozdobiony metalowymi sztychami, Vauxhall ozdabiają bardzo wielkie sylwety z brązu przedstawiające wyroby z porcelany, majoliki i fajansu oraz inżynierię, architekturę, rolnictwo, naukę, sztukę, rząd miejscowy i oświatę.

Pośród łodzi na Tamizie najbardziej znane są łodzie, biorące udział w zawodach między Uniwersytetami Cambridge i Oxford.

Najnowszym, nadbrzeżnym dziełem sztuki jest Pagoda Pokoju wzniesiona na przeciwnym brzegu Chelsea w Parku Battersea przez mnichów buddystów. Pagoda o podwójnym dachu, wysokości 110 st. będzie połączona z japońskim ogrodem jako część międzynarodowego łańcucha pokoju.

Katedra Św. Pawła: wnętrze
Widok na Tamizę z Wieżą Telecom

City Londynu

2000 lat temu, Rzymianie założyli kolonię na miejscu teraźniejszej City. Kolonia została obwarowana w ok. 200 r. naszej ery z powodu napadów plemion Icenów prowadzonych przez królową Boudicca. Niektóre części wału urzymały się, a w 604 r. Biskup Londynu Mellitus zaczął budowę Kościoła im. Sw. Pawła. Niepokój i rozruchy trwały jednak nadal podczas inwazji Duńczyków i przyjazdu Wilhelma z Francji. Dowód piśmienny uznający prawa obywateli podczas jego panowania jest zachowany w Guildhall, ośrodku rządu cywilnego i miejsca toczenia się ważnych procesów. Lady Jean Grey była sądzona tu wraz z małżonkiem Lord Guildford Dudley'em w 1553 r. i w tym samym roku Arcybiskup Cranmer był procesowany, zwolniony, ale po trzech latach skazany na stos. Budynek średniowieczny uszkodzony pożarem został odbudowany przez Wrena i po 200 latach w 1882 r. postawiono wykonać dach otwarty, a nie płaski, dostosowany estetycznie do oryginału średniowiecznego. Podczas drugiej wojny światowej budowla została uszkodzona i od tego czasu trwają prace odnowienia i dobudowanie Livery Hall.

Bank of England został założony na podstawie rewolucyjnego pomysłu pożyczki państwowej, która upoważniła Rząd do zebrania pieniędzy «Fund of Perpetual Interest».

Reszty starożytnych fortyfikacji
rzymskich
Bank of England
Pomnik
Royal Exchange - Giełda

W 1694 r. aprobowano t. zw. «Bank of England Act» w celu zebrania funduszów na wojnę francusko-holenderską.

W 1715 r. pożyczka wynosiła już 36 000 000 funtów, a Instytucja nabierająca coraz większej wagi przeniosła się na Threadneedle Street w 1734 r. Około 1788 r. odbudowano gmach w stylu neoklasycznym z murem bez okien, według projektu Sir John Soane'-go. Od 1946 r. Bank stał się Instytucją publiczną.

Royal Exchange ulokowane w nowocześnie urządzonej budowli, posiada galerię dla odwiedzających, zaopatrzoną w elektronowe urządzenia i telewizor z zamkniętym obwodem prądu.

Dzieje Royal Exchange sięgają XVI w., t. zn. czasu «joint stock companies», gdy tranzakcje zawierano w kawiarniach, a pierwszy budynek Royal Exchange nie był czynny póki grupa agentów nie nabyła w 1773 r. ruchomości na Threadneedle Street. Royal Exchange przeniesiono na obecne miejsce Capel Court w 1801 - 2 r.

Ceremonie City

Parada listopadowa Lord Mayora jest najważniejszą manifestacją City i odbywa się w drugą sobotę listopada w dzień złożenia przysięgi i objęcia Urzędu.

On albo ona, pierwszą kobietą Lord Mayor była Lady Donaldson, piastująca ten Urząd w 1983-4 r., powinni spędzić szereg lat w City Corporation i posiadać własne mienie, niezbędne do urządzania bankietów w oficjalnej rezydencji, Mansion House.

Ten Pałac w stylu Palladia, posiadający salę taneczną i salę bankietową, słynną Salę Egipską, posiadającą kolumny na czterech stronach i galerię, wybudowano w XVIII stuleciu.

Lord Mayor jest najwyższym sędzią City, w której mieszczą się m. in. Sądy. Te budynki należące do sądownictwa cywilnego zostały wzniesione w XIX wieku. W 1882 r. Królowa Wiktoria inaugurowała nowy wykwintny kompleks liczący 1000 lokali. Obecnie po rozbudowaniu i stworzeniu nowego gmachu, przeznaczonego na Sąd karny, kompleks zawiera 60 poszczególnych sądów.

Główny Sąd Kryminalny, zwany Old Bailey od nazwy jednej ulicy, został zbudowany w 1907 r. na obszarze dawnego więzienia Newgate Prison o bardzo złej reputacji. Na dachu umieszono rzeźbę brązową Sprawiedliwości z wagą i szpadą, ale nie mającą zawiązanych oczu.

Policja City jest jedyną Instytucją niepodlegającą Home Secretary. Na czym polega różnica? Policjanci noszą hełmy z pióropuszem i złote guziki.

Wnętrze Guildhall poczas ceremonii wyboru szeryfów City Londynu
Old Bailey, Główny Sąd Kryminalny
Sądy królewskie
Strona zewnętrzna Guildhall

WIEŻA

"*Wieża Londynu była twierdzą, pałacem, domem klejnotów królewskich i skarbu Państwa, arsenałem, mennicą, więzieniem, obserwatorium, ogrodem zoologicznym i atrakcją turystyczną*", pisał Duke of Edinburgh w książce poświęconej 900 rocznicy wieży.

W początku Dwór Królewski żył w obwarowanej White Tower o grubych, solidnych 15 st. murach, ale od czasu panowania Henryka III apartamenty znajdowały się między wieżą i rzeką.

Wejście zdrajców i przypływ wody przypominają wchodzących znakomitych więźniów skazanych na śmierć, począwszy od Sir Waltera Raleigh'a, uwięzionego 13 lat, aż do Królowej Anny Boleny. Królowa Elżbieta I została zwolniona, aby zostać królową.

Podczas Reformacji traktowanie srogie stało się zwyczajem i cierpienia więźni są udowodnione dowodem piśmiennym.

Dawne klejnoty królewskie uległy zniszczeniu, ale w czasie powrotu Króla, dynastia Stuart'ów poparła realizację początkowego projektu stworzenia Muzeum Państwowego, aby uczcić wyprawy wojs-

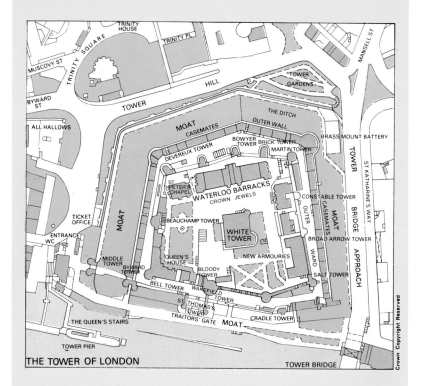

THE TOWER OF LONDON

kowe, króli kraju,godłem królewskim.
Menażeria królewska ruszyła do ogrodu zoologicznego w 1834 r., zostawiając jedynie kruki.
Obecnie ani Pałac ani więzienie, Wieża zachowała zabytki: od munduru Beefeater do nocnej ceremonii Kluczy, prowadzonej przez kierownika Chief Yeoman Wardera ubranego w długi czerwony płaszcz, beret Tudor'ów, noszącego latarnię, podczas zbliżania się do krwawej Wieży.
Klejnoty Rodu panującego pochodzące z epoki po Cromwellu - chociaż niektóre z dawnych czasów przeżyły przeszłe wieki - są używane podczas sakralnych chwil koronacji, włącznie z łyżką, prawdopodobnie z XII stulecia i Ampułą, używaną według tradycji, w 1399r. podczas koronacji Henryka IV.
Korona Św. Edwarda o wadze 5 funtów została wykonana na koronację Karola II w 1661 r. Korona Królowej Wiktorii z 1838 r. zawiera Black Prince's rubin.
Most Wieży - jeden jedyny most po drugiej stronie Mostu Londynu - wykonany w stylu gotyckim złączył oba brzegi w r. 1894. Koszta

wyniosły przeszło milion funtów i do tego czasu potężne łańcuchy tego mostu wodzonego zostały podniesione w celu umożliwienia nawigacji przynajmiej milion razy.

Wieża Londynu (Tower of London)
Plany Wieży Londynu
Wieża Londynu w nocy
Wieża Londynu: Biała Wieża

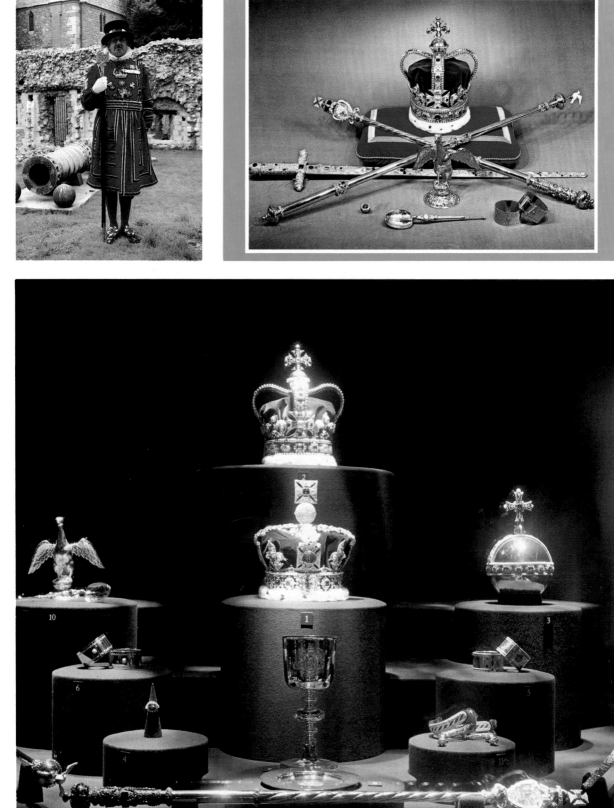

W 1982 r. zezwolono po raz pierwszy obejrzenie mostu i od tego czasu można oglądać salon maszyn z hydraulicznymi mechanicznymi urządzeniami zachowanymi po elektryfikacji w 1976 r., salon kontroli, oraz wystawy i przejść przez rzekę na wysoko położonym przejściu, mieszczącym się między wieżami. Struktury stalowe tego mostu mają kamienne pokrycie.

St. Katharine Dock o powierzchni 23 akr. między London Docks i Wieżą ożywia się jako atrakcja turystyczna dzięki Historic Ships Collection, Dickens Inn i nowym sklepom oraz basenowi yachtów. Potężny krążownik drugiej wojny światowej HMS Belfast zarzucił w rzece kotwicę.

W 1820 r. Docks były pełne żaglowców wracających z podróży naokoło świata, bogatych w kość słoniową, marmur, wełnę, gumę, wino i herbatę, ale od czasu kiedy okręty zaczęły zarzucać kotwicę dalej w kierunku ujścia, mie-

szczące się tu baseny i depozyty przestały być używane. Obecnie są zastąpione przez World Trade Centre i Tower Thistle Hotel.

Strażnik Wieży "Beefeater"
Tower of London: Klejnoty Królewskie
Widok na Most Wieży

British Museum
Victoria & Albert Museum
South Bank Arts Complex (Komplex
Sztuki na północnym brzegu)
London Museum

MUZEA

National Gallery powstała na skutek nalegania Króla Jerzego IV domagającego się nabycia przez Rząd kolekcji 38 obrazów, włącznie z 6 Hogartha "Marriage à la Mode".

Dzieła Rubensa, Rembrandta oraz sztuki malarskiej z Flandrii, Holandii i Włoskiego Renesansu zostały nabyte z biegiem czasu i Galeria wzrosła, powiększyła się niby Mekka pięknych obrazów międzynarodowego poziomu.

W pobliżu znajduje się National Portrait Gallery, jedna z pierwszych ważnych Instytucji, która rozpoznała i doceniła wartość fotografii w zakresie tradycji sztuki.

Kiedy w 1897 r. Tate Gallery otworzyła swoje wrota, można było podziwiać dzieła malarzy angielskich włącznie z Turnerem. Od 1850 r. Tate Gallery zbiera dzieła artystów malarzy brytyjskich obok Hogartha, Blake'a i "Pre-Raphaelites" okazują się cudzoziemcy z epoki impressionistów.

Ściany restauracji są ozdobione przez Rex Whistlera, a rzeźby Henry Moore'a z brązu są wystawione w pobliżu na dworzu.

Wspaniała kolekcja British Museum opiera się na testamencie Sir Hans Sloane'a z 1753 r., który polecił nabycie jego kolekcji sztuki, przedmiotów starożytnych i przyrody oraz zabytków za sumę 20 000 funtów, cenę o wiele niższą od rzeczywistej wartości tej nadzwyczajnej kolekcji.

Jednocześnie kolekcja rękopisów Harleian została nabyta dla Państwa i 15 stycznia 1759 r. otworzono nowe Muzeum jedynie dla osób mile widzianych, pożądanych.

King's Library została zbudowana w 1823 r. i po dołączeniu nowych skrzydeł, nastąpiło otwarcie okrągłej sali pod wielką miedzianą kopułą. Reading Room jest bogaty w dawne dzieła sztuki, począwszy od zabytków rzymskich niedawno wykopanych aż do kopii Magna Charty i rzeźb Partenonu oraz mumii egipskich.

Victoria & Albert Museum znajduje się w pobliżu grupy obejmującej Muzea Nauk, Przyrody i

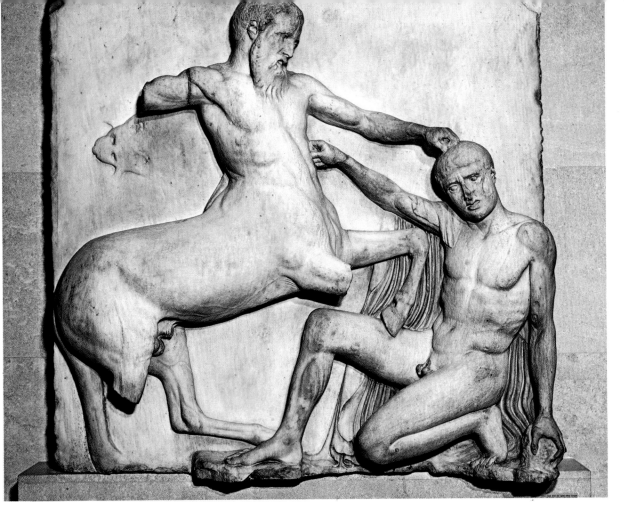

Geologii, które rozwinęły się dzięki inicjatywie Wiekiej Wystawy: Prince Albert's Great Exhibition. Muzeum V&A ze swoimi dziełami sztuk pięknych i sztuki stosowanej, salami rzeźb i kostiumów zostało umieszczone w South Kensington w 1857 r. dzięki inicjatywie Prince'a.
Po 40 latach zamówiono nowy budynek i Królowa Wiktoria położyła kamień węgielny w 1899 r., podczas jednej z ostatnich obowiązków publicznych. Posągi Królowej i Małżonka znajdują się na głównym pięknie ozdobionym wejściu tego gmachu, bogatego w skarby i przedmioty nieocenionej wartości, od klejnotów, kostiumów historycznych do dzieł sztuki z całego świata i mebli brytyjskich włącznie z wielkim Bed of Ware, szerokim na całą rodzinę.

**Tate Gallery: William Blake, Elohim stwarzający Adama
National Gallery: Piero della Francesca, Chrzest Chrystusa
British Museum: Bitva Lapitów z Centaurami z Partenonu
Victoria & Albert Museum: Raffaello, Cud ryb**

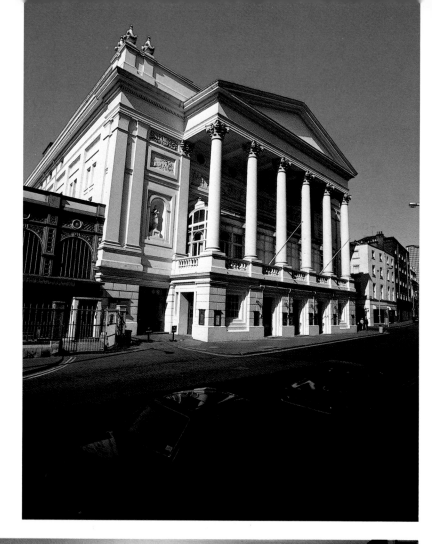

Theatreland - dzielnica teatrów

Niezliczona ilość widzów tłoczy się w Palladium od czasu jego otwarcia jako teatr operetek w 1910 r.

Teatry Londynu słyną z niezwykle wysokiego niedorównanego poziomu przedstawień już od czasów Shakespeare'a, kiedy grano jego sztuki w Globe Theatre.

Drury Lane, Shaftesbury Avenue, Haymarket i Strand błyszczą i lśnią od światła różnych teatrów: operetki, dramatu, farsy i komedii.

Teatr nie jest wygnany na West End. Sceny Royal Court na Sloane Square, Mermaid przy Blackfriars Bridge, Mostu Dominikanów, Barbican w City i National Theatre na południowym brzegu wabią w nocy przechodniów.

Na przedmieściach rozwijają się, kwitną teatry na doskonałym poziomie z rozmaitymi programami. Ze względu na długożywotność nic nie może pobić rekordu Mousetrap Agaty Christie, sztuki granej nieskończoną ilość razy.

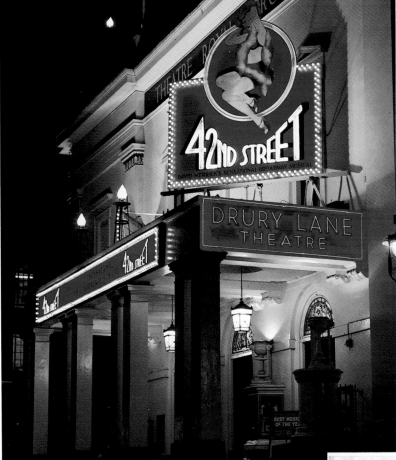

Covent Garden: The Royal Opera House - Opera Królewska
Theatre Royal Haymarket
Palladium
Drury Lane Theatre

Shopping - Sprawunki - Zakupy

«C.D. Harrod, kupiec korzenny» napis na małym sklepie sprzedaży detalicznej Charles Digby Harroda istniał już w 1861 r., od chwili nabycia sklepu od ojca. Sklep rozwinął się bardzo i w 1880 r. personel składał się ze 100 osób. Pożar zniszczył sklep w grudniu 1883 r., ale pan Harrod, człowiek rezolutny i energiczny wysłał swoje wozy wszędzie gdzie mógł w celu zaopatrzenia sklepu w zapas towarów na Boże Narodzenie. Wierni klijenci przyczynili się do rekordowej sprzedaży w okresie nachodzących świąt. Artystki Lily Langtry i Ellen Terry były jednymi z pierwszych klijentek, którym udzielono nieograniczony kredyt.

Obecnie Harrod's jest jednym z najbardziej znanych sklepów świata. W stanie dostarczyć jakikolwiek towar czy przedmiot, począwszy od fortepianu aż do szczeniątka z pedigree. Harrod's symbol rzetelności, niezawodności wraz z Knightsbridge, Selfridge's założonym w 1909 r. przez Amerykanina Henry Gordon Selfridge'a posiada najstaranniej wykończoną fasadę na Oxford Street, ozdobioną słynnym zegarem z figurą zwaną Queen of Time - Królową czasu.

Inny zakład z koneksjami królewskimi - Fortnum & Mason został założony na początku XVIII w. Bardzo ciekawy jest zegar podczas wybijania godzin, kiedy ruchome kłaniające się postacie założycieli, zjawiają się na fasadzie, wychodzącej na Piccadilly.

O parę kroków dalej znajduje się Bond Street, ulica mody z 1980 ze swoimi rafinowanymi sklepami mody, srebra i Sotheby's, znanym domem licytacji. Założony w 1744 r. sprzedał od tego czasu nieocenione skarby. Artykuły sprzedaży mogą być naocznie zbadane dzień albo dwa dni przed przyznaniem przez uderzenie młotem.

Godło Fortnum & Mason
Harrod's
Magazyn Liberty: strona zewnętrzna
Burlington Arcade - Arkada Burlington

TRANSPORTY W LONDYNIE

Busy i kolejka podziemna na przestrzeni 15 mil od Charing Cross podlegają London Regional Transport, urzędzie umieszczonym nad kolejką podziemną w St. James's Park.

Miejsce nadające się do studiowania historii Transportu w Londynie znajduje się w Covent Garden. Pokrywa dwa stulecia jeszcze przed zjawieniem się w 1829 r.

omnibusów na ulicach stolicy. Pierwwsze tramwaje konne zaczęły kursować w 1861 r., dwa lata przed otwarciem pierwszej kolejki podziemnej świata: the Metropolitan.

W 1870 r. skończono budowę Tower Subway, tunelu pod Tamizą i po 20 latach była czynna pierwsza kolej elektryczna. Nowoczesna London Undergound była jeszcze w kolebce, w okresie początkowego rozwoju.

W latach 1970 skończono nowe przedłużenia: Jubilee Line i Piccadilly Line dojeżdżające do lot-

niska Heathrow i do Heathrow Terminal 4.

Tymczasem, lekka kolej dojeżdza do Dockland, na wschód od City. George Shillibeer realizował pierwsze autobusy do publicznego użytku między Paddington Green i Bank of England, ale został naśladowany przez konkurentów i w 1850 r. zjawiły się pierwsze omnibusy z siedzeniami na dachu.

Nowe stulecie ujrzało pierwsze autobusy z motorem, ale ostatni tramwaj konny został usunięty dopiero w 1916 r. kiedy tramwaje elektryczne kursowały już w Lon-

dynie. Zostały zastąpione przez
trolleybusy, które znikły w 1962 r.
Zjawiły się wtedy Red Arrows,
obługujące szybko i często dzielnice wielkiego ruchu, zachęcające
do zaopatrzenia się w bilet kumu-
lacyjny, popierające jazdę one-
man buses, bez kontrolora.
Znany bilet "clippie", ważny jest
jeszcze w czerwonych dwupięt-
rowych autobusach i bilety nie są
już więcej przedziurawiane.

Victoria Station - Dworzec Wiktorii
Underground - Kolejka podziemna
Autobus

Greenwich
Hampton Court
Zamek Windsor: King Henry VIII Gate -
Wejście Henryka VIII
Bariera Tamizy
Zamek Windsor: The Garter Procession -
Procesja Podwiązki

Greenwich: Queen's House